Kuntur kuyashkamanta

kichwakunapak ñawpa rimay

El cóndor enamorado

Una leyenda kichwa

The Condor Who Fell In Love

A Kichwa Legend

Recopilado, interpretado e ilustrado por / Recorded, interpreted and illustrated by: Alfonso Toaquiza
Leyenda relatada por / Legend told by: César Chugchilán, María Francisca Ugsha Chugchilán, Francisca Ugsha Chusín
Texto en kichwa / Kichwa text: Alfredo Toaquiza con / with Julio Toaquiza, Gustavo Toaquiza
Editor del texto en kichwa / Editor of Kichwa text: Angel Tibán
Texto en español / Spanish text: Alfonso Toaquiza, Steven Rudnick, Alfredo Toaquiza, Gustavo Toaquiza con / with Wolframio Benavides, Isabela Figueroa, Miguel Dávila
Editora del texto en español / Editor of Spanish text: Paulina Rodríguez
Texto en inglés / English Text: Steven Rudnick
Editora del texto en inglés / Editor of English text: Gabrielle Watson
Glosario compilado por / Glossary Compiled by: Steven Rudnick, Alfredo Toaquiza
Editor & coordinador del proyecto / Editor & Project Coordinator: Steven Rudnick

Diseño / Design: Miguel Dávila / Henrry Ruales – Soluciones Gráficas D&G
Fotografía / Photography: Cristóbal Corral
Técnico de imágenes de color / Color Image Technician: Gustavo Moya
Impresión / Printing: Imprenta Mariscal, Quito-Ecuador
ISBN Nº 9978-42-276-5

Primera edición / First Edition: 3 000 ejemplares / 3,000 copies
agosto / August 2002
Segunda edición / Second Edition: 5 000 ejemplares / 5,000 copies
abril / April 2006

Agradecemos a: Mónica Bucheli por su apoyo y amistad; Hernán Unapanta por su asistencia con el texto en español; Angel Tibán por su espíritu de colaboración; Luis Alfredo Ante Sigcha y Roger Klausler por sus invaluables contribuciones a los textos de esta segunda edición; Anne Bleeker Corcos por su apoyo oportuno; y a nuestros amigos y familiares quienes nos apoyaron y compartieron con sus ideas.
Thanks to: Monica Bucheli for her support and friendship; Hernán Unapanta for his assistance with the Spanish text; Angel Tibán for his spirit of collaboration; Luis Alfredo Ante Sigcha and Roger Klausler for their invaluable contributions to the texts of this second edition; Anne Bleeker Corcos for her timely support; and to our friends and families who supported us and shared their ideas.

La primera edición de este libro fue financiada por SEMILLAS para Comunidades.
The first edition of this book was funded by SEEDS for Communities.

Los ingresos de la venta de ***Kuntur kuyashkamanta / El cóndor enamorado / The Condor Who Fell In Love*** financiarán impresiones de este libro para las escuelas de Tigua Chimbacuchu, Ecuador y las de otras comunidades indígenas.
Proceeds from the sale of ***Kuntur kuyashkamanta / El cóndor enamorado / The Condor Who Fell In Love*** will finance further printings of this book for schools inTigua Chimbacuchu, Ecuador and for schools in other Indigenous communities.

www.kuriashpa.com

kuriashpa@yahoo.com

Tel.: (593-9) 98595915, (593-9) 91745995

KURI ASHPA
visiones de los pueblos indígenas

KARAY DEDICATORIA DEDICATION

Ñuka wacharirkani shinallatak wiñarkanimi Tigua ayllullaktapi, Cotopaxi marka, Ecuador mamallakta ukupi. Shuk kickwa aillullakta chunka chusku uchilla aillullaktata aparik ukupi. Tukui ruku yaya mama kunami rimankuna ashka ñaupa rimaykunata, wiwakunamanta, runakunamantapash kay ashpapacha samay kunamantapash shinallatak pachamama samaymantapash. Ñuka uchilla kay punchapika, ñuka munashka ñauparimayka karkami Kuntur kuyashkamanta rimay.

Kay Kamuktaka minkanimi ñukapak rukumama Martina Chugchilanpak yuyaypi chaymantapash jatun pushak (cabecilla) Pascual Chusín, ñukapak munashka shinallatak yapaka kuyashka kunami karka ñuka wawa kay punchapika.

Yo nací y crecí en Tigua, Cotopaxi, Ecuador, un pueblo kichwa que abarca catorce comunidades. Los mayores de mi pueblo relatan varios cuentos sobre los animales, las personas y los espíritus del universo. Cuando yo era niño, uno de mis preferidos se trataba sobre el cóndor enamorado.

Dedico este libro a la memoria de Martina Chugchilán, mi abuela, y a la del dirigente y cabecilla Pasqual Chusín, los dos mayores más respetados y queridos de mi niñez.

I was born and raised in Tigua, Cotopaxi, Ecuador, a Kichwa community made up of fourteen villages. Our elders tell many stories about animals, people, and the spirits of the universe. When I was a boy, one of my favorite ones was about the condor who fell in love.

I dedicate this book to the memory of my grandmother Martina Chughilán and to the memory of the community leader Pasqual Chusín, the two most respected and beloved elders of my childhood.

Alfonso Toaquiza

IMÁGENES Y SÍMBOLOS IMAGES AND SYMBOLS

Pachakamak Espíritu creador masculino que cuida y protege a todo el universo.
Masculine spirit of creation who protects and cares for the universe.

Pachamama Espíritu femenino de fertilidad que regula los tiempos y toda la naturaleza.
Feminine spirit of fertility who regulates the seasons and all of nature.

Cóndor Ave rapaz que tiene una enorme extensión de alas, incluso mide más de tres metros. El cóndor es el animal más sagrado para los pueblos kichwas de los Andes. Actualmente, las dos especies de cóndor, el andino y el de California, se encuentran en grave peligro de extinción.

Vulture with an enormous wing span that can measure more than three meters. The condor is the most sacred animal to the Kichwa peoples of the Andes. Today, both species of condor, the Andean condor and the California condor, are in grave danger of extinction.

Kipu Cintas coloridas que representan el mensaje transmitido por el cóndor.
Colorful strings which represent the message transmitted by the condor.

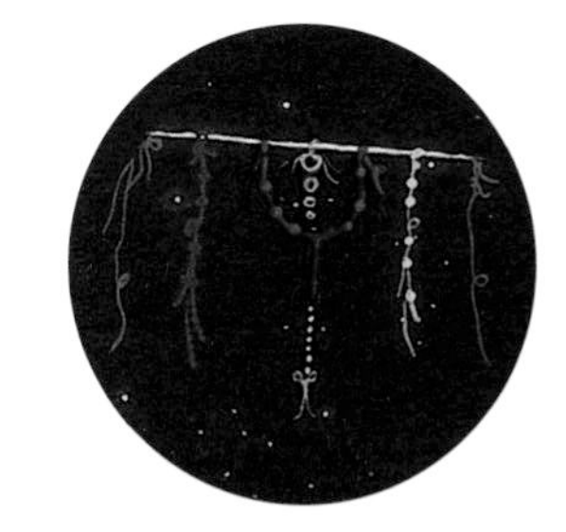

Kichwa 1) Pueblo descendiente de los incas, los kichwa del Ecuador constituyen el pueblo más numeroso de las trece nacionalidades indígenas del país.
2) Lengua de los incas, es hablado en la actualidad por más de siete millones de personas en Ecuador, Perú y Bolivia.

1) Descendents of the Incas, the Kichwa of Ecuador constitute the largest of the country's thirteen Indigenous nationalities.
2) Language of the Incas, today Kichwa is spoken by over seven million people in Ecuador, Perú and Bolivia.

Taita Cotopaxi Volcán activo más alto del mundo y el sitio más sagrado para los kichwas andinos del Ecuador. *Taita* significa padre en kichwa.

Highest active volcano in the world, and the most sacred site of the Andean Kichwa of Ecuador. *Taita* is the Kichwa word for father.

Páramo Ecosistema que está presente únicamente en los trópicos, se encuentra entre el borde superior de los bosques y el nivel de las nieves. El páramo es de suma importancia para los kichwa de la sierra, puesto que es un reservorio natural de agua, el sitio de pastoreo, y una fuente de plantas medicinales.

Ecosystem unique to the tropics, found between the tree line and the snow line. The *páramo* is of great importance to the Kichwa people of the highlands, as it is a natural water reservoir, a grazing site for animals, and a source of medicinal plants.

Llamingo Animal nativo de Suramérica que está emparentado con el camello. Los pueblos andinos han criado los llamingos (conocidos como "llamas" en el inglés), las vicuñas y las alpacas por miles de años, tanto por su lana y su carne como para transportar carga. Los incas incluyeron al llamingo como participante principal en las ceremonias más importantes.

Native animal of South America, related to the camel. For thousands of years, Andean peoples have raised llamingos (also known as "llamas" in English), vicuñas and alpacas to carry heavy loads, and to provide wool and meat. The Inca included the *llamingo* as a central participant of their most important ceremonies.

Pushkana Masa de lana usada para producir el hilo.

Ball of wool used to make yarn.

Sik-sik Palo donde se enrolla el hilo.

Stick around which yarn is spun.

Kuynkilla Flor azul y blanca que revela el destino de los enamorados. Uno debe pensar en su enamorado y luego soplar la *kuynkilla*; si se cierran los pétalos, significa que sí te quiere.

Blue and white flower that reveals the destiny of lovers. Think of the one you love and then blow on the *kuynkilla*; if the petals close, it means the person you're thinking of loves you, too.

Búho Ave sagrada de comunicación y que también sirve como testigo del amor.

Sacred bird of communication; also, witness to love.

Kunturmatzi Nombre de las peñas en los altos páramos de los Andes, donde han vivido y se han reproducido los cóndores, desde tiempos antiguos.

Name for caves in the high *páramos* of the Andes where condors have lived and bred since ancient times.

Quilotoa Volcán que colapsó hace miles de años y se llenó de agua, constituyéndose en un lago, donde los poderes y tesoros de las montañas se concentran.

Volcano that collapsed thousands of years ago and filled with water to form a lake, where the powers and treasures of the mountains are concentrated.

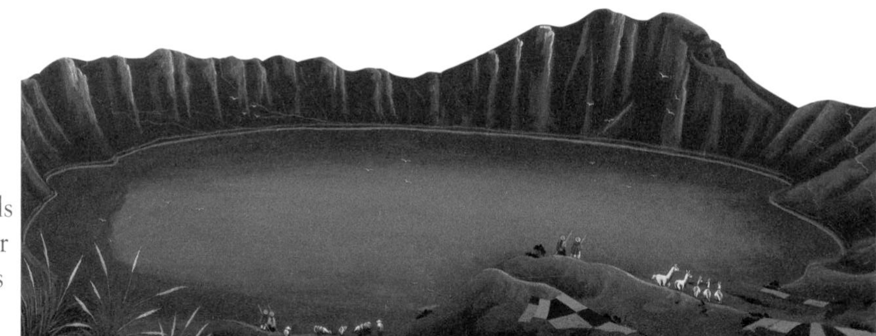

Ima punchaka, Pachakamak wiñachirkami kay kawsay pachata. Kausarkanin kay ashpapachapi yurakuna, wiwakuna, shinallatak runakunapash. Yapaka shuk willachik illarka allpapachamanta shuktak pachaman purichun, Pachakamak mutzurirka willachun imalla ashpapachapi yallishkata. Maykan jawata pawashpa purik tikrachun willaykunata apashpa pachakamakman munarca ima pacha tarpuna ima pacha pallana, illarkami shuk willachik, ranti ranti yachaykunata willashpa kawsankapak.

Cuando Pachakamak creó el universo, vivían en nuestro mundo las plantas, los animales y las personas. Lo único que faltaba era un mensajero para llevar información entre los espíritus y la gente. El Pachakamak necesitaba alguien que le avisara todo lo que pasaba en la tierra. La Pachamama quería comunicar a la gente cuándo sembrar y cuándo cosechar. Faltaba alguien que pudiera volar hasta el cosmos para recibir los mensajes y entregarlos a nuestros pueblos.

When Pachakamak created the universe, our world was alive with plants, animals and people. The only thing missing was a messenger to carry information between the spirits and the people. Pachakamak needed someone to advise him about everything that was happening on Earth. Pachamama wanted to tell the people when to plant and when to harvest. There was no one who could fly to the cosmos to receive the messages and deliver them to our people.

Chaymantami, pachakamak, pachamama kayarka tukuy pachapi ushakkunata yanapachun, shuk sumak willachik churita wiñachinkapak. Inti yaya, killa mama, shinallatak yaku, wayra, kuyllurkunapash makita kurka paypak tukuy ushaykunawan. Tayta Cotopaxi, Mama Tungurahua shitarkakuna nina yakuturu kushnikunatapash. Chazukuna, mancharishpa mitikurkakuna. Shuk yachak runaka paypak takiwan ninawan Pachata mañakurka.

Tamyamanta kulun shamushpa rikurirka shuk lulun, chaymantami llucshirka shuyashka churi, shuk jatun urpi, shinapash shuk kunturmi karka.

Entonces, el Pachakamak y la Pachamama convocaron a los poderes del universo para crear un Mensajero Sagrado. El Padre Sol y la Madre Luna, los árboles, los ríos, los vientos y las estrellas, todos se dieron la mano con sus energías. El *Taita* Cotopaxi y la *Mama* Tungurahua llenaron el cielo con lava y ceniza. Los llamingos huyeron del lugar. El hombre sabio preparó ceremonias con fuego y música.

Entre lluvias y relámpagos apareció un huevo y de él salió el hijo más esperado. Era un ave. Era un cóndor.

So Pachamama and Pachakamak gathered the forces of the universe together to create a Sacred Messenger. Father Sun and Mother Moon, the rivers, the trees, the winds and the stars, all lent their energies to the task. *Taita* Cotopaxi and *Mama* Tungurahua filled the sky with lava and ash. *Llamingos* fled in all directions. Wise men performed ceremonies with fire and music.

Amidst rain and lightning an egg appeared, and out of it came the child they had hoped for. He was a bird. He was a condor.

Achka watakunata kuntur yallirka llankashpa, willaykunata apashpa pawash purishpa. Rikuchikunawan, muskuykunawanpash. Pachakamakman, willakmi kashka runakunapak mañaykunata samaykunaman, shinallatak tikramunkarka allpa pachaman kutichikunawan. Runakunaman, llaktakunamanpash willachik ima pacha llakikuna wañuypash tiyanakashkata.

Durante muchos años el Cóndor volaba solo, entregando mensajes con *kipus* a través de señales y sueños. Llevaba los pedidos humanos al Pachakamak y regresaba a la tierra con las respuestas. Avisaba a nuestra gente cuándo una muerte ocurriría en el pueblo.

For many years the Condor flew alone, delivering messages with his *kipus* through signs and dreams. He carried human appeals to Pachakamak and returned to Earth with the answers. He let our people know when a death was going to occur in the village.

Shinapash kurturka sapalla kashkatami yuyarka.

Shuk punlla yuyarka tukuykuna warmiyuc kan, ñukalla mana charini yuyarka. Kunukunapash, uchilla urpikunapash charin, imamanta ñukaka mana charini nishpa wanarirka, chaymantami shuklla yuyayta japishpa paypak warmita maskanaman rirka.

Sin embargo, el Cóndor se sentía solo.

"Todos tienen pareja", pensó cierto día, "hasta los conejos. ¿Por qué yo no?"

Así que decidió ir en búsqueda del amor.

Nevertheless, the Condor was lonely.

"Everyone has a special someone," he thought one day, "even the rabbits. What about me?"

And that's when he decided to go in search of love.

Yuyarka Tigua urkuta pawanaman, chay kipaka, kunturka tukuyta rikurka shuk kuytza llamakunata chazukunatapash urkupi michikukta, shuktakkunatapash.

Chaypi rikukpika tiyarkami shuk sumak kuytza ishkay llamamichik ashkukunata katachishka, ñapash munarkallami chay kuytzata rikushpa, shinapash manarak kuchuyashpami chayllapitak shuk michik puñukukpak ruwanata pakalla apashpa rirka paypak ñawpakpi allita rikurinkapak kuytza munachun yuyashpa.

El Cóndor voló sobre los páramos de Tigua donde los jóvenes pastoreaban a las ovejas y a los llamingos.

Allí vio una hermosa chica pastoreando a los animales acompañada por sus dos perritas, e inmediatamente el Cóndor se enamoró de ella. Antes de acercarse, robó el poncho a un pastor que dormía, y se lo puso para presentarse elegante ante ella.

The Condor flew above the *páramos* of Tigua where young men and women grazed sheep and *llamingos*.

There he saw a beautiful girl tending animals with her two dogs, and instantly the Condor fell in love with her. Before getting closer, he took the poncho from a sleeping shepherd and put it on to make himself more elegant for her.

Kuntur uriyarka. Urku rumi washapi pakarka, kuytzata alli rikushpa shinallatak imashina paypak kuyashka tukuni yuyashpa.

El Cóndor se escondió entre las rocas y miraba a la chica, pensando cómo podría llegar a ser su enamorado.

The Condor hid among the rocks and watched the girl, thinking about how to become her sweetheart.

Kuytzapakman kunturka pawashpa chayarka. Payka churarishkami karka puka ruwanata, kunka millmapash yurak makana shinami karka, shinallatak chanka millmakunapash yurak wara churashka shinami karka. Chayta rikushpami kuytzaka shuk musumi yuyashpa shunkumanta chaskirka.

Por fin el Cóndor saltó donde la joven. Como llevaba puesto el poncho rojo, las plumas de su cuello parecían una bufanda blanca y las plumas de sus piernas parecían calzones. La chica quedó convencida de que el Cóndor era un chico y se dejó acompañar.

Finally, the Condor hopped down to where the young lady was. Next to the red poncho, his neck feathers looked like a white scarf and his leg feathers, like short pants. Convinced that the Condor was a boy, the girl allowed him to keep her company.

Kuytzaka paypak sinchi kawsaytami rimarka. Paypak ayllupi shuklla ushushimi karka. Wiwakunata michishpalla yallik, chakipash chukrimi karka punchanta urkupi michishpa purishkamanta.

Kuytzaka maykan sawarina tiyakpika sawarimanmi kani nirka.

Chay sumak rimaykunata uyashpaka, kunturka llamakunata tantachishpa yanapanata munarka.

La chica le conversó sobre su vida difícil. Por ser hija única de su familia, pasaba todos los días pastoreando en el páramo, y de tanto caminar sus pies estaban lastimados.

"Si tuviera con quién casarme, yo me casaría", dijo ella.

Al escuchar esas hermosas palabras, el Cóndor ofreció su ayuda para reunir a las ovejas.

The girl told him all about her life of hardship. The only daughter in her family, she spent her days tending animals on the *páramo*, and her feet were sore from so much walking.

"If only there were someone for me to marry…" she sighed.

Hearing those beautiful words, the Condor offered to help her round up the sheep.

Shinapash yanapana rantika, kunturka jatun llamata akllashpa mikurka.

Mientras reunía a las ovejas, el Cóndor escogió al borrego más grande y se lo comió.

As he was gathering the sheep, the Condor picked out the biggest ram and ate him.

Kunturka tukuy aychata mikushka kipaka, kuytzapakman tikramurka.

Paypak yawaryashka pikuta rikushpa kuytzaka llakirirka, ay turiku imatak tukurkanki. Kuntur kutichirka: Ayayay paniku, imatak nishpa mana willawarkanki jatun piña karniruta charishkanki, ashamanta mana ñukata wañuchin, llullarka.

Kishpichi, rikuchipay kampak ñawita mayllankapak, nishpa payka llakirirka.

Después de comerse todito el borrego, el Cóndor regresó donde la chica. Viendo que su pico sangraba, la joven le preguntó: "Y a usted, ¿qué le pasó?"

El Cóndor contestó: "¡Ayayay! Bonita, ¿por qué no me avisaste que tenías un carnero bravo? ¡Casi me mata!", le dijo.

"Perdóneme y permítame lavarle la carita", dijo ella.

After devouring every last bit of the ram, the Condor returned to the girl. Seeing that his beak was bleeding, she asked, "What happened to you?"

The Condor answered, "Ayayay! Pretty girl, why didn't you tell me you had such a ferocious ram? He almost killed me!"

"Forgive me," she said, "let me clean your little face."

Ishkantik tukuy puncha pukllashpalla yallirka. Kunturka jatun urkumanta kuynkilla sisata apamushpa kurka. Kuntur kuytzata aparikpika sumaktami asirka, yakuta yallirka shuk manyamanta shuktak manyaman.

Shinami allichikuni kipa jatarishpa rinkapak nishpa, kuntur yuyarka.

Ahora que eran amigos, pasaron jugando todo el día. El Cóndor le regaló flores de *kuynkilla* de la montaña más alta. La chica se reía mientras el Cóndor la cargaba de un lado a otro del río.

"Así voy preparándola para que después vuele conmigo", pensó el Cóndor.

Now that they were friends, the two of them played together all day long. The Condor gave her *kuynkilla* flowers from the highest mountain, and the girl laughed as the Condor carried her back and forth across the river.

"Soon I'll have her ready to fly with me," thought the Condor.

Ña chishiyakpika Azucina ashkuka llamakunata muyuchirka wasiman rinkapak, shinapash kuytzaka paypak musuta mañarka yanapachun, kutinpash yakuta yallichishpa. Sinchita ukllarichun kuntur nirka, paskarka paypak jatun wanpuna rikrakunata shinapash kuytzata aparishpa pawash llukshirkallami.

Kuytzaka pushkanata sigsigtapash Amapula ashkuman shitarka, chay ashkuka awllashapa sakirirka, kuitzaka nirkami mana shuk musuchu kashkanki, kunturmi kashkanki nishpa kaparirka.

Cuando cayó la tarde, la perrita Azucina guió a las ovejas hacia la casa, entonces la chica pidió al Cóndor que le ayudara a cruzar el río una vez más. El Cóndor le dijo que lo abrazara muy fuerte, abrió sus inmensas alas y salió volando con la chica encima.

La joven lanzó su *pushkana* y *sik-sik* a la perrita Amapula. La perrita se quedó ladrando, y la chica gritó: "Ahora ya sé quién es usted, no es ningún chico. ¡Ha sido el Cóndor!"

When evening fell, the dog Azucina led the sheep towards home, so the girl asked the Condor to help her across the river one more time. The Condor told her to hold onto him very tightly, then he spread his enormous wings and took to the air with the girl on his back.

The young lady tossed her *pushkana* and *sik-sik* down to the little dog Amapula, who wouldn't stop barking. Then the girl called out: "Now I know who you are. You're not a boy at all. You are the Condor!"

Jawata rijushpaka, samita wayramanta aysashpa, payka shuk urpishinami pankallata yuyarka, manchaypash chinkarka pawankapak. Kuytzaka jawamanta rikurka, mana yuyashka mushuk rikurik chacrakunata. Rikuy usharka papa chakrata, cebadata, cebollatapash, tawka murukuna tarpushkakunata. Kunturka Quilotoa mama kuchata rikuchirka, Illiniza urkuta, shinallatak yurak urkukunata. Chimborazo, Cotopaxi, Tungurahuatapash.

Al principio la chica tuvo miedo pero, al respirar el aire puro, ella se sintió libre como un ave. Desde el cielo vio un paisaje que nunca antes había imaginado. Pudo ver las huertas de papa, cebada, y cebolla, todas de diferentes colores, y también muy pequeñas. Así mismo el Cóndor le mostró el agua verde azulada del Quilotoa, los picos helados de los Ilinizas, y la gran montaña nevada del Chimborazo. Pudieron ver el interior de los volcanes sagrados, Cotopaxi y Tungurahua.

At first the girl was afraid, but breathing the fresh air made her feel free as a bird. From the sky she had a view of the countryside she had never before imagined. She could see the little plots of potato, barley and onion, all different colors, all looking very small. The Condor also showed her the green-blue waters of Quilotoa, the frozen peaks of the Ilinizas, and the great snow-covered mountain of Chimborazo. They could see inside the sacred volcanoes, Cotopaxi and Tungurahua.

Ashkata purishka kipa paypak kuytzata apashpa rirka kuntur matzi nishka jatun urkuman. Kuytza paypak mushuk wasipi allimi kani yuyarka, shinallatak kunturpash paypak manyapi allimi kakuni yuyarka. Kunturka paypak pikuwan tucsishpa tucsishpa ukllarka, tzuktzurka, shinapash llukshi kallarirka uchilla millmakuna.

Mana rikurkakunachu Amapula ashkuta, mayta pawashrikta rikush katishkata.

Después de un largo paseo, el Cóndor llevó a su enamorada a la peña *kunturmatzi*. La chica se sintió cómoda en su nueva casa y el Cóndor se sintió cómodo a su lado. Entre besos y abrazos el Cóndor la picoteaba cariñosamente, y así le empezaron a salir unas tiernas plumas por todo su cuerpo.

No se dieron cuenta de que Amapula los había seguido todo el tiempo.

After a long outing, the Condor brought his sweetheart to the *kunturmatzi*. The girl felt comfortable in her new home, and the Condor, at her side, felt the same. Between kisses and embraces, the Condor covered her with loving pecks, and tender feathers began to appear all over her body.

They didn't notice that Amapula had been following them the whole time.

Chaymantaka, Azucina ashkuka llamakunata, chazukunatapash kinchamanmi aparka. Tayta Mamaka paypak ushushi mana chishipi rikurikpika mancharishkawan sakirirka, shinapash ña chishikarka Intipash ña yaykurka, llakiwan sakirirka kayapak maskakkrinkapak.

Mientras tanto, Azucina cumplió su labor de llevar las ovejas y los llamingos al corral; los padres de la chica se asustaron al ver que su hija no llegaba. Sin embargo, el Padre Sol ya había bajado, entonces se retiraron a la casa para buscarla al siguiente día.

Meanwhile, Azucina completed her chore of bringing the sheep and *llamingos* to the corral. The girl's parents were frightened to see that their daughter had not arrived. Nevertheless, Father Sun had already set, so they went inside for the night. They would have to look for her the following day.

Puncha pakarikpi, Amapula ashkuka wasiman chayarkallami makikunata rikuchishpa willachirka mana alli willaykunata. Kuytza kunturwan llukshish rishkata, shinapash rikuchirka paypak pushkanata siksiktapash. Piñaywan manchaywampash, Tayta Mamaka tukuy manya ayllukunata tantachirka urku waykumanta llukchishpa apamunkapak.

A primera hora de la mañana, Amapula llegó a la casa e hizo señas con sus patas para contar a la familia que su hija se había ido con el Cóndor. Entregó la *pushkana* y el *sik-sik* como prueba, y en seguida los vecinos fueron llamados al rescate.

In the first hours of the morning Amapula arrived home and made signs with her paws to tell the family that their daughter had gone off with the Condor. She delivered the girl's *pushkana* and *sik-sik* as proof, and right away the neighbors were called to the rescue.

Tutamantapi, kuntur yarikayta japirka, shinapash llukshirkami mikuyta maskanaman. Asha pacha kipaka, taruka aychawan tikramurka shinallatak paypak kuytzamanpash kararka.

Cuando amaneció, el Cóndor sintió hambre y salió a buscar comida. Regresó con un venado y junta, la pareja comió.

When morning came the Condor was hungry, so he went in search of food. He returned with a deer, and together the couple ate.

Ishkantak mikunakamanka, Amapula ashkuka kuchuyarkallami chay jatun urku chakiman tukuy ayllu llaktata katichishpa.

Ayllukuna kaparirka kaspikunawan shuktak jillaykunata rikuchishpa, kuntur shuwa, kuntur saltia ruku, kuytzata kachari nishpa kaminakurka. Maykankunaka kunturta rumiwan waykuparka, shuktakkunaka karawaskawan japisha nishpa manchachirkakuna.

Mientras la pareja comía, Amapula guió a la gente del pueblo hacia el *kunturmatzi*.

Armados con hachas y palos, todos le gritaban: "¡Suelta a la chica! ¡Cóndor maldito, Cóndor ladrón!". Algunos lanzaban piedras al Cóndor mientras otros lo amenazaban con sogas de cuero.

While the couple was eating, Amapula led the people of the village to the *kunturmatzi*.

Armed with hatchets and sticks they all shouted, "Let the girl go! Evil Condor, thieving Condor!" Some threw rocks at the Condor while others threatened him with ropes of leather.

Kunturka paypak kawsayta llakishpa anchurirka, nimata mana ruray usharkachu, rikushpa sakirkallami, karikuna urkuman shukshishpa payta karawaskawan churashpa wichiman llukchirkallami. Payka yaya nishkata japishpa waskapi wayurishpa urikurkallami.

El Cóndor se quedó mirando cómo los hombres subieron a la montaña y cómo lanzaron una larga soga a la chica. Ella, obedeciendo a su padre, cogió la soga y se bajó.

The Condor looked on as the men climbed the mountain and threw the girl a long rope. Obeying her father, she took the rope and lowered herself down.

Ayllu llaktaman chayashpaka taytamamakuna paypak ushushita wasipi rimashpa wishkarka, ama kutinpash chayshina yallichun nishpa, punkuta allita watashpa sakirka. Shinapash sumakta allichinchik yuyashpa murukunata kuchuiman yallirkakuna.

Kuytzaka ashkatapacha llakinachirkami paypak musuta, shinapash imashina rimanapi arinirkakurna maki junta ukshata japishpa ninata japichishpa willayta rurarka kunturwan rinkapak nishpa.

Al llegar al pueblo, los padres encerraron a la chica en la casa, aseguraron las puertas amarrándolas bien y se fueron al campo a la cosecha.

Pero la chica se sentía sola. Quemó un puñado de paja y le mandó al Cóndor un mensaje de que la llevara con él.

Back in the village, the parents shut the girl in the house, secured the doors tightly, and returned to the harvest.

But the girl was lonely. She set fire to a handful of straw and sent the Condor a message to come get her.

Kushnita rikushpa, kunturka wasimanmi urikurka, wasi katata tunishpa, shinapash sillukunawan shinallatak jatun rikrawan kuytzata chaspishpa llukchirka shimallatak pawashpa rinakurka. Ayllukuna chay sinchi yuyaysapa kunturta ashkatapacha kamirkakuna.

Viendo la señal de humo, el Cóndor bajó hasta el pueblo y rompió el techo de la casa. Con sus patas levantó a la chica, agitó sus alas y se fueron volando. La gente insultó de nuevo al Mensajero Sagrado.

Seeing her message in smoke, the Condor swooped down to the village and broke through the roof of the house. He lifted the girl up with his feet, flapped his wings, and away they flew. Once again the people shouted insults at the Sacred Messenger.

Kunanka, kunturka paypak kuytzata aparka yapa jatun urkuman maykampash mana llukshi ushayman. Chaypika paypak kuytzataka pikuwan tuksi kallarirka shinapash yapa kuyaywan. Yapata tuksikukllapika, tukuy paypak aychapi millmakuna plumakunapash wiñaykallarirka.

Esta vez el Cóndor llevó a su compañera hasta la peña *kunturmatzi* más alta, donde las personas no pudieran alcanzarlos. Allí comenzó a picotearla con mucho más afecto y con cada picotazo a ella le salían más plumas.

This time the Condor carried his companion to the highest *kunturmatzi*, where no people could reach them. There he began to peck her even more affectionately than before, and with each little peck she grew more feathers.

Tukuy ayllukuna jatun urku chakiman kuchuyarkakuna shinapash mana ushana karkachu. Kuytzaka ñami kunturman tikrashka karka. Shuk urpimi tukurka, shuk kunturmi karka. Payka mushuk ñawitami rikuchirka, shinallatak mushuk wanpuna rikrakunata tukuy mashikunaman rikuchirkami, shinapash ña anchurinimi yaya mamaku minchakaman nishpami anchurirka.

La gente se acercó, pero ya era muy tarde: la chica había completado su transformación. Era un ave. Era una cóndor.

La Cóndor miró hacia abajo y mostró su nueva cara a la comunidad. Luego, con una de sus alas se despidió de su madre y de su padre.

The people drew near, but it was too late: the girl had completed her transformation. She was a bird. She was a condor.

The Condor looked down and showed the community her new face. Then, with one of her wings, she waved goodbye to her mother and father.

Tayta mamaka ayllukunawan, imatapash mana ushashpa paypak ushushiwan kunturwan tantanakushkata arinishpa shinallatak wakanakushpa wasiman tikrarka.

Pachamama Pachakamak kushikuywan sakirirka ishkantak kuyanakushkamanta. Chaypunchamanta pacha kunturkuna mirarirka, shinallatak willachik kipu tukushpa sakirirka, shinami tukuy Pachapi alli willaykuna tiyanka ayllukunawan samaykunawanpash.

Kunanpika tayta mamakunaka Tiguapi rimanchikmi ñukanchi ushushikunata urkupi llamakunata michishpa purin nishpa, rikuriankichik, kuntur apanman nishpami rimanchikuna.

Los padres no tuvieron más que aceptar la unión entre su hija y el Cóndor, y sembraron de lágrimas el largo camino a casa.

Pachamama y Pachakamak quedaron felices por la pareja elegida, y por las futuras generaciones de mensajeros que garantizarían la buena conexión con la gente.

Y hasta hoy advertimos a nuestras hijas que pastorean en el páramo: "¡Cuidado te lleva el Cóndor!".

The parents had no choice but to accept the union of their daughter and the Condor, so they made the long journey home, sowing the path with tears as they went.

Pachamama and Pachakamak were happy for the chosen couple, and for the future messengers who would ensure a strong connection to the people.

And even today we warn our daughters tending flocks in the *páramo*: "Watch out for the Condor!"

Tukurin Fin The End

LA LEYENDA THE LEGEND

La leyenda del cóndor enamorado ha sido transmitida oralmente por generaciones, entre los pueblos kichwas por todas partes de los Andes de Suramérica. No existe una sola versión, sino una variedad de versiones que la gente de cada región cuenta de una manera creativa y distinta. Este libro relata la versión hasta hoy contada en la comunidad de Tigua, Chimbacuchu, Ecuador.

Todos los cuentos cambian al ser contados. Por ejemplo, en esta versión de la leyenda del cóndor, aparecen animales que no son nativos de los Andes. Ovejas, perros, vacas, chanchos y gallinas fueron traidos a Suramérica por los europeos. Sin embargo, estos animales han jugado un papel central en la vida de los kichwas por siglos, y así han ganado espacios importantes en su literatura oral junto a los animales nativos como los llamingos, los cuyes, los conejos y los cóndores.

The legend of the condor who fell in love has been passed down orally in Andean communities for generations. There are many versions of this legend, as the people in each region have their own unique and creative way of telling it. The version in this book is the one still told today in Tigua, Chimbacuchu, Ecuador.

All stories change in the telling. For example, in this version of the condor legend, animals appear that are not native to the Andes. Sheep, dogs, cows, pigs and chickens were brought to South America by Europeans. Still, these animals have been central to Kichwa life for centuries, and have earned important places in their oral literature alongside native animals like *llamingos*, guinea pigs, rabbits and condors.

Foto: Bolivar Umajinga

EL ARTISTA   THE ARTIST

El artista ecuatoriano Alfonso Toaquiza nació en Yanakachi en 1976, y creció en la comunidad de Tigua, Chimbacuchu. Cuando era niño ayudaba a su madre en la agricultura y siempre pasaba acompañando a su abuela, ayudándola en los pastoreos. Alfonso empezó a pintar cuando tenía ocho años, bajo la enseñanza de su padre Julio Toaquiza. Su trabajo ha sido exhibido en la Casa de la Cultura de Quito; la Organización de Estados Americanos en Washington, D.C.; la UNESCO de París; en el Museo Hearst de la Universidad de California, y en el Palacio Presidencial del Ecuador. Vive en Latacunga, Pujilí y Tigua Chimbacuchu con su esposa, Ana Umajinga, y sus hijos, Alex y Sinchi.

Ecuadorian artist Alfonso Toaquiza was born in Yanakachi in 1976, and grew up in the village of Tigua, Chimbacuchu. When he was a boy, he spent his days working in the fields with his mother and helping his grandmother herd sheep on the *páramo*. Alfonso began to paint at the age of eight under the instruction of his father, Julio Toaquiza. His work has been exhibited in La Casa de la Cultura in Quito; the Organization of American States in Washington, D.C.; UNESCO in Paris; the Hearst Museum at the University of California; and in the Presidential Palace in Ecuador. He lives in Latacunga, Pujilí and Tigua Chimbacuchu with his wife, Ana Umajinga, and their children, Alex and Sinchi.

LAS ILUSTRACIONES THE ILLUSTRATIONS

Los artistas kichwas de Tigua son muy conocidos por sus pinturas que reflejan las costumbres, las historias y la vida diaria de las comunidades kichwas en los páramos del Ecuador. Por generaciones los artistas de Tigua han tallado y decorado máscaras de madera; en los años 70, Julio Toaquiza fue el primer artista de Tigua en pintar sobre tambores y superficies planas. Sus obras, pintadas en cuero de oveja y templadas sobre bastidores de madera, inspiraron una nueva y poderosa corriente de expresión artística que tiene sus raices en la riqueza creativa de sus ancestros. En la actualidad, existen muchos pintores de Tigua, quienes cultivan este legado, incluso el tercer hijo de Julio, Alfonso Toaquiza.

Para este libro Alfonso pintó cuadros originales de 48 cm x 45 cm con acrílico en cuero de oveja.

The Kichwa artists of Tigua are well known for their paintings reflecting the customs, stories and daily life of the Kichwa communities in the *páramos* of Ecuador. For generations, the artists of Tigua have carved and decorated wooden masks. In the 1970's, Julio Toaquiza was the first Tigua artist to paint on drums and flat surfaces. His works of art, painted on sheep hide stretched over wooden frames, inspired a powerful new form of artistic expression rooted in the rich creative heritage of his ancestors. Today there are many painters from Tigua carrying on this legacy, including Julio's third son, Alfonso Toaquiza.

For this book, Alfonso painted original works in acrylic on sheep hide 48 cm x 45 cm in dimension.

KURI ASHPA

Kuri Ashpa, Ecuador mama shuyupimi sakirin, wacharirkami kay ishkay waranka chusku watapi kay kulla suyumanta, chaupi suyumanta shinallatak chinchay suyumanta ayllukunawan, runa llaktakunapi kawsak ayllukuna kikin unanchata, yachay, yuyaykunata, kishkaykuna Abya Yala suyukunanta riksichinkapak, shina rurashpa llaktakuna wiñarishpa, yanapashpa katichun. Tsitsanu ishkay niki kamukmi kan kay Kuri Ashpamanta, Ñukanchik kallari kamukmi kan, ***Kuntur kuyashkamanta / El cóndor enamorado / The Condor Who Fell In Love***, Kay pankata riksichirkanchikmi ishkay waranka ishka watapi, kay Tigua Chimbacucho kichwa ayllu llaktamanta, Cotopaxi markamanta, Ecuador suyumanta. Kallaripi kishkashka kamuk kunaka sumak alli japishkami karka, chaimantami kipa rurashka Kuntur kuyashkamanta nishka kamunktaka riksichikrinchik shinallatak llankakkrinchikmi shuktak ayllullaktakunapi, marka kunapipash. Kunan punllakunapika llankakunchikmi sapara runakunawan Ecuador mamallakta ukupi shinallatak Perú llaktapipash, Sapara kunapak kamukpak shutimi kan ***Tsitsanu***, Kuri Ashpapak kipa kamukta riksichishunmi abril killa ishkai waranka sukta wata ukupi.

Kuri Ashpa fue constituído en Ecuador, en el año 2004 por personas del Sur, Centro y Norteamérica con la misión de otorgar el poder a los pueblos indígenas de las Américas de documentar, ilustrar y publicar independientemente sus tradiciones orales, de acuerdo a sus propias visiones y a beneficio de sus comunidades. ***Kuntur kuyashkamanta / El cóndor enamorado / The Condor Who Fell In Love*** fue publicado por primera vez en 2002 por la comunidad kichwa de Tigua Chimbacuchu, provincia de Cotopaxi, Ecuador. La excelente acogida de la primera edición nos ha permitido publicar esta segunda edición y trabajar con otras culturas indígenas. Actualmente trabajamos con la nacionalidad Sapara de Ecuador y Perú. Su libro ***Tsitsanu***, la segunda publicación de **Kuri Ashpa**, se publicará en abril de 2006.

Kuri Ashpa was established in 2004 by people from South, Central and North America with the mission of empowering indigenous peoples of the Americas to document, illustrate and independently publish their oral traditions, according to their own visions and for the benefit of their communities. The first edition of ***Kuntur kuyashkamanta / El cóndor enamorado / The Condor Who Fell In Love*** was published in 2002 by the Kichwa community of Tigua, Chimbacuchu in Cotopaxi Province, Ecuador. The excellent reception of the first edition has permitted us to publish this second edition and to work with other Indigenous cultures. Currently we are working with the Sapara nationality of Ecuador and Perú. Their book ***Tsitsanu***, **Kuri Ashpa's** second publication, will be published in April of 2006.